Paris
MON IMAGIER

Séverine Cordier

PARIGRAMME

à l'école
at school

lundi 23 janvier

je suis

tu es

un écureuil

$$\begin{array}{r} 4 \\ + 2 \\ \hline 6 \end{array}$$

Un tableau
A blackboard

Des craies
Chalk sticks

Un cahier
A notebook

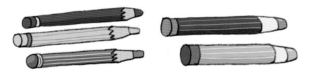

Des crayons de couleur
Coloured pencils

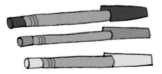

Des feutres
Felt tips

Un cahier d'exercices
An exercise book

Des tubes de peinture
Tubes of paint

Des pinceaux
Paintbrushes

Des livres
Books

Un cartable
A satchel

Un abécédaire
An alphabet book

Un goûter
A snack

à la pâtisserie
at the pastry shop

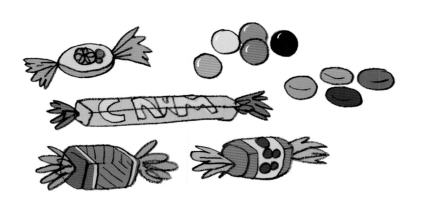

Des bonbons

Sweets

Un chef pâtissier

A pastry chef

Du réglisse

Liquorice

Des tartelettes

Mini tarts

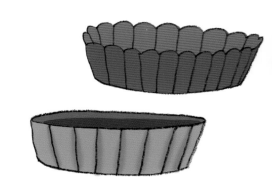

Des moules à gâteaux

Cake tins

Un rouleau à pâtisserie
A rolling pin

Une caisse enregistreuse
A cash register

Des religieuses au chocolat
Chocolate pastries

Un éclair au chocolat
A chocolate éclair

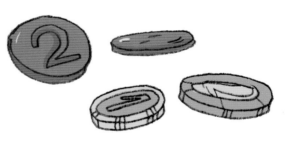

Des pièces de monnaie
Coins

Une tablette de chocolat
A chocolate bar

Des oursons au chocolat
Chocolate teddy bears

au parc
at the park

Un cheval à ressort

A rocking horse

Une poussette

A pushchair

Des pigeons

Pigeons

Des feuilles

Leaves

Un bateau à voiles

A sailboat

Une chaise

A chair

Un chapeau

A hat

Une trottinette

A scooter

Un seau
A bucket

Une glace
An ice cream

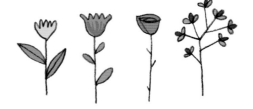

Des fleurs
Flowers

Un râteau
A rake

Un tricycle
A tricycle

Des ballons
Balloons

Une pelle
A spade

Un banc
A park bench

Un toboggan
A slide

Un pass Navigo
A travel card

Un conducteur de mét[ro]
A metro driver

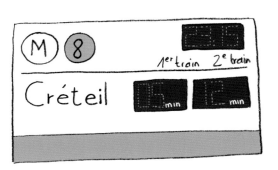

Un panneau d'affichage
An information board

Des journaux
Newspapers

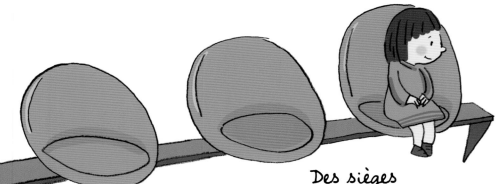

Des sièges
Seats

Un voyageur

A passenger

Un musicien

A busker

Attention!
Ne mets pas tes mains sur la porte : tu risques de te faire pincer très fort

Une affichette

A warning sticker

Théâtre

3 rue du Bois
PLACES 8€

18 H
19 H

Une affiche de théâtre

A theatre poster

TICKET t+
optile
RATP
BUS T M RER dans Paris
carnet
stif
stif
stif
007656241   0210 A 12

Un ticket de métro

A metro ticket

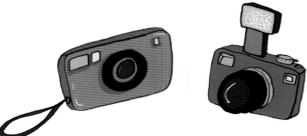

Des appareils photo
Cameras

Des jumelles
Binoculars

Un vendeur de souvenirs
A souvenir seller

Un vendeur de ballons
A balloon seller

Des tours Eiffel miniatures
Miniature Eiffel Towers

Des boules à neige
Snow globes

Une conférencière
A tour guide

Des guides de Paris
Paris guidebooks

Des poneys
Ponies

dans la rue

in the street

Des scooters
Scooters

Un vélo
A bike

Un réverbère
A street lamp

Une fontaine Wallace
A Wallace drinking fountain

Un camion de pompiers
A fire engine

**Un panneau
de signalisation**
A road sign

Des voitures
Cars

Un policier
A policeman

**Un feu
de signalisation**
A traffic light

Un piéton
A pedestrian

La Joconde de Léonard de Vinci
Leonardo da Vinci's Mona Lisa

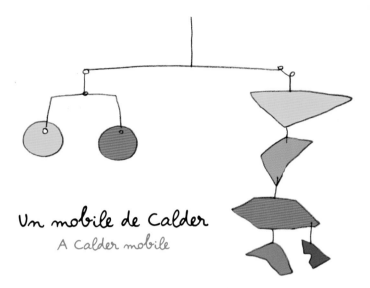

Un mobile de Calder
A Calder mobile

Un tableau de Picasso
A Picasso painting

Le Penseur de Rodin
Rodin's The Thinker

Des masques africains
African masks

La Victoire de Samothrace
The Winged Victory of Samothrace

Un ticket
A ticket

la Seine

the Seine

Un peintre
A painter

**Deux amies
en train de lire**
Two friends reading

**Un monsieur
en train de lire le journa**
A man reading the paper

Des péniches
Houseboats

Un accordéoniste
An accordion player

Des mouettes
Seagulls

Des poissons
Fish

Un pêcheur
A man fishing

Le Pont-Neuf
The Pont-Neuf bridge

au marché

at the market

Des pommes
Apples

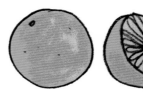

Des oranges
Oranges

Une laitue
A head of lettuce

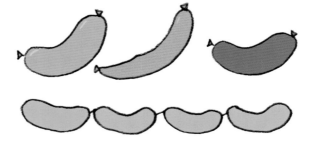

Des saucisses
Sausages

Des bananes
Bananas

Du poisson
Fish

Un poulet rôti
A roast chicken

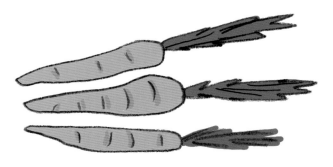

Des carottes
Carrots

Des tomates
Tomatoes

Des fraises
Strawberries

Du fromage
Cheese

Du pain
Bread

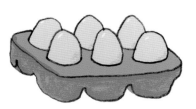

Des œufs
Eggs

au zoo

at the zoo

Un panda
A panda

Des graines
Seeds

Un dromadaire
A camel

Un koala
A koala

Des cacahuètes
Peanuts

Un serpent
A snake

Une girafe
A giraffe

Un kangourou
A kangaroo

Des oiseaux
Birds

Une autruche
An ostrich

Un tigre
A tiger

Un singe
A monkey

Un éléphant
An elephant

Des perroquets dans une volière
Parrots in a birdcage

Des pommes d'amour

Toffee apples

Des glaces

Ice cream

Des frites

Chips

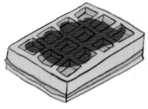

Des gaufres

Waffles

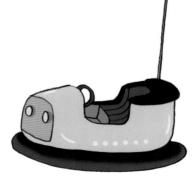

Des berlingots

Sweets

Un manège

A merry-go-round

Des autos tamponneuses

Bumper cars